# BEHİÇ AK
# UYURGEZER FİL

CAN
ÇOCUK

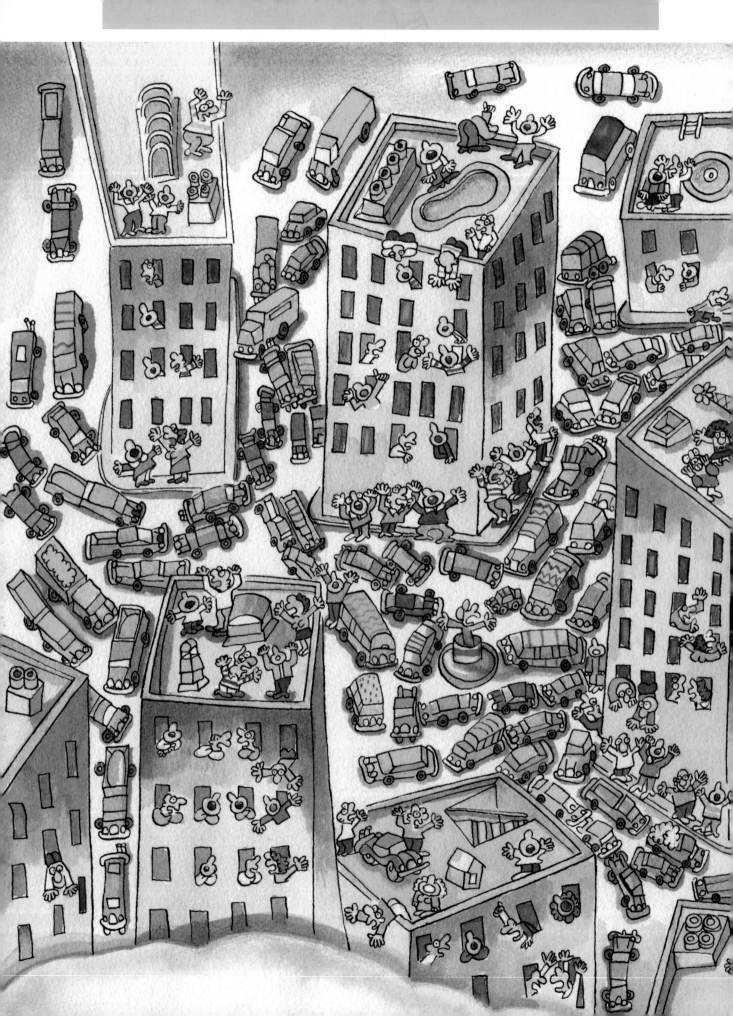

Bir zamanlar ülkelerin birinde,
büyük ve gürültülü
bir şehir vardı.

Şehir o kadar gürültülüydü ki insanların birbirleriyle konuşması neredeyse olanaksızdı. Bu yüzden şehirdekiler, seslerini birbirlerine duyurabilmek için sürekli bağırmak zorunda kalıyorlardı. Seslerini yükselttikçe, şehir daha gürültülü oluyordu. O yüzden seslerini daha da yükseltiyorlardı. Ama bu defa da

şehir daha da gürültülü olduğu için seslerini yükselttikçe yükseltmek zorunda kalıyorlardı.

Şehirde artık hayvanlar yaşayamıyordu. Kediler, köpekler, kuşlar, tavuklar, horozlar ve civcivler

gürültüye dayanamadıkları
için şehri terketmişlerdi.

Günlerden bir gün, içinde zürafa, aslanlar, kuşlar ve bir de filin olduğu "fakir bir sirk" şehre geldi.

Çocuklar sirki görünce çok şaşırdılar.

Hayvanları oyuncak zannettiler. Çünkü
hayatlarında hiç "gerçek hayvan" görmemişlerdi.
Onları sadece, oyuncaklarından, çizgi filmlerden
ya da kitaplarındaki resimlerden
tanıyorlardı.

Akşamüstü herkes, heyecanla sirke koştu.
İlk gösteri olağanüstüydü. Mambo isimli
şişman bir fil, incecik ipin üzerinde
yürüyor, hortumuyla da kocaman bir topu
havalara atıp tutuyordu. Herkes
Mambo'ya hayran kalmıştı.

Fakat gelin görün ki sevimli filin kimsenin bilmediği bir hastalığı vardı. Mambo bir uyurgezerdi. El ayak

çekilip, herkes derin uykuya daldığında, o da
uyuyor. Sonra da uykuda doğrulup, yürümeye
başlıyordu. O gece de aynı şey oldu.

Sabahleyin insanlar tuhaf bir görüntüyle karşılaştılar. Uyurgezer fil Mambo, büyük bir binanın tepesinde yürüyordu. Heyecan içinde bağrışmaya başlamışlardı ki, birden sirkin sahibi belirdi ve "Şşşş... Lütfen," diyerek onları susturdu. "Mambo bir uyurgezerdir. Aniden uyanırsa, şaşırıp, aşağıya düşebilir."

Mambo'yu çok seven şehirliler suspus oldular. Birbirlerine bağırmayı ve arabalarına binip, korna çalmayı kestiler. Sonraki günlerde de aynı manzarayla karşılaştılar. "Mambo uyanmasın" diye bisiklete binmeye, ayak uçlarına basarak yürümeye ve fısıltıyla konuşmaya başladılar. O zamana kadar fark etmedikleri bir gerçeği fark etmişlerdi. Ne kadar alçak sesle konuşurlarsa birbirlerini o kadar iyi duyuyorlardı.

Bu durum Mambo'yu çok üzmüştü. Koca şehrin düzenini bozmuştu! Hemen bir doktora giderek, uyurgezerlik hastalığını tedavi etmesini istedi.

Doktor Mambo'yu saatlerce inceledi ve sonunda ona kocaman bir uyku hapı vermeye karar verdi. "Üzülme," dedi. "Bu hapı aldığında öyle kendinden geçeceksin ki, kalkıp yürüyecek halin kalmayacak."

Ertesi sabah, hap etkisini göstermişti.
İnsanlar uyandıklarında, Mambo'yu
binaların tepesinde boşuna aradılar.
"Mambo bugün yok!" diye bağırdılar.
"Artık özgürce gürültü yapabiliriz!"

Çok kısa zamanda şehir eski gürültülü hayatına geri döndü. Ama şehirdekiler, bu durumdan hiç de memnun kalmamışlardı. Herkes bağırdıkça bağırıyor, korna çalıyor, kimse birbirinin ne dediğini duymuyordu. Çatılardan çatılara atlayan uyurgezer fil Mambo'yu özlemeye başlamışlardı.

Sonunda bir buket kır çiçeği toplayıp Mambo'ya gittiler ve şehri gürültüden kurtarmasını istediler. Sevimli filin kafası iyice karışmıştı. "Sen bize sessiz yaşamanın ne demek olduğunu öğrettin," dediler. "Lütfen tekrar uyurgezer

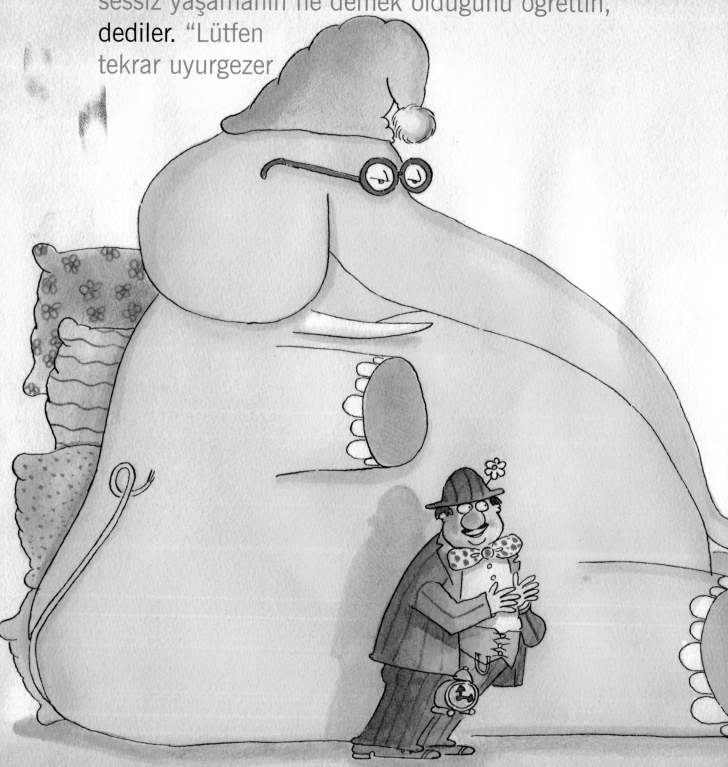

ol, binaların tepesinde yürü. Biz de seni uyandır-
mamak için bisiklete binelim, ayaklarımızın ucuna
basarak yürüyelim ve fısıltıyla konuşalım."
Mambo onların ne istediğini anladı. Ama ne yazık
ki sirk, ertesi gün şehri terk etmek zorundaydı.

Ertesi sabah, Mambo ve sirk başka bir şehre doğru yol alırken, şehirliler bir binanın tepesinde Mambo'yu gördüler ve çok sevindiler. Onu uyandırmamak için ellerinden geleni yaptılar. Oysa binanın tepesindeki Mambo'nun kendisi değil, heykeliydi. Bu sırada Mambo arkadaşlarına şöyle diyordu: "Bütün şehirler bu kadar gürültülüyse, korkarım her yere benim heykelimi dikmek zorunda kalacaklar."

Tüm kitaplarımızla ilgili
ayrıntılı bilgi için:
www.cancocuk.com